当当网终身五星级童书

★ ★ ★ ★ ★

我要逃出皇家农场

据［法］克利斯提昂·约里波瓦同名绘本动画片改编
郑迪蔚／编译

不一样的卡梅拉动漫绘本

二十一世纪出版社
21st Century Publishing House
全国百佳出版社

下蛋，下蛋，总是下蛋！

生活中肯定有比下蛋更好玩的事情！

我要去凡尔赛宫的皇家农场救我哥哥……

农场里，现在是洗澡的时间。

皮迪克带领大家进行每天早上例行的洗尘土澡。一时间，鸡舍旁尘土飞扬。

大家一边洗一边快乐地唱起歌：

啦啦啦，我们用沙来洗澡，擦亮羽毛……♫♪

♪啦啦啦，我们用沙来洗澡，保持健康……

身上不会再有寄生虫，寄生虫！♫

♪ ♩

鸬鹚佩罗被小鸡们扬起的沙土呛得直咳嗽：“我永远不会习惯你们荒谬的尘土澡！”

“咳咳！”佩罗使劲咳出一块鱼骨，鱼骨在空中画了个弧形飞向卡梅拉和小鸡们，吓了大家一跳。

“我们是不可以用水来洗澡的，只有用沙土才能驱除附在羽毛上的虱虫，每天早上洗个尘土澡，能保持健康。”

皮迪克顾不上和鸬鹚佩罗继续解释，忽然发现卡门和卡梅利多没有来洗澡。

“孩子们呢？他们到哪儿去了？卡——门！卡梅利多！”他大声呼喊。

卡梅利多、卡门和贝里奥正在农场外面踢足球，玩得不亦乐乎。

“嘿，卡梅利多，你爸爸叫你回家洗澡呢。”

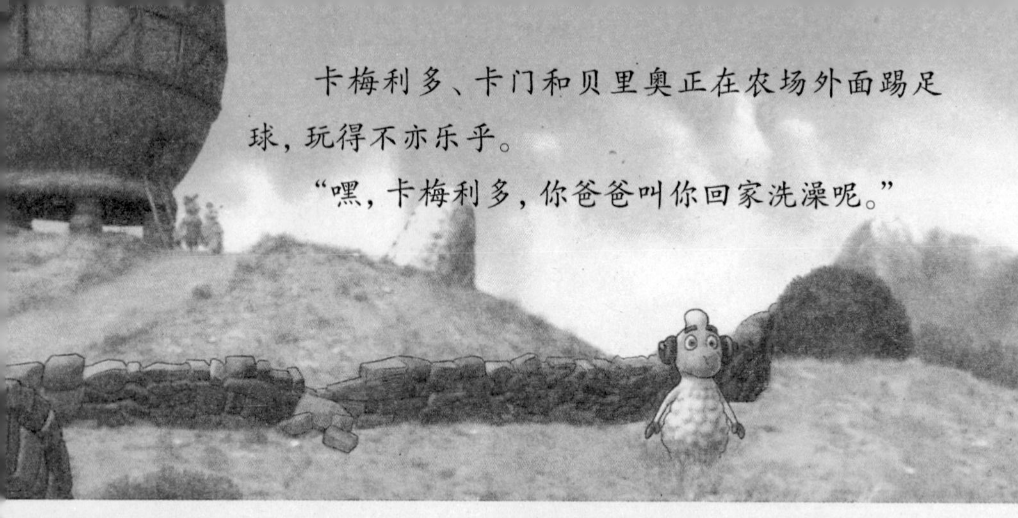

“贝里奥，传个头球给我！”

“放心，我一会就去。作为足球冠军是从来不会缺席锻炼的，等会再洗澡！”

贝里奥铆足了劲一记头球，只见球远远地飞出场外，朝着围墙上看热闹的刺猬兄弟砸去……

“哎哟！”刺猬皮克被砸中了脑袋。等他抬起头的时候，把大家都逗乐了。

“我有什么不对劲吗？”

“你现在的造型有点像……”

“看上去就像……戴了个假发！”

“你可笑的新发型让我觉得像一个人，但怎么都想不起叫什么名字！”卡门指着刺猬皮克忍不住大笑。

这时，一辆非常豪华的马车从远处飞驰而来。驾车人挥舞着马鞭大声吆喝："驾！驾！吁……"

还没等小伙伴们回过神，马车已停在了离他们只有几步远的地方。

从车里走出一位贵妇，她脸上涂着白粉，穿着耀眼的用金、银丝线绣成的高级华丽的裙子，尤其让小鸡们目瞪口呆的，是她那夸张到可以做鸟巢的高耸假发。

“你们好！”贵妇高傲地和小鸡们打着招呼。

贝里奥和卡梅利多半张着嘴一时间没反应过来。

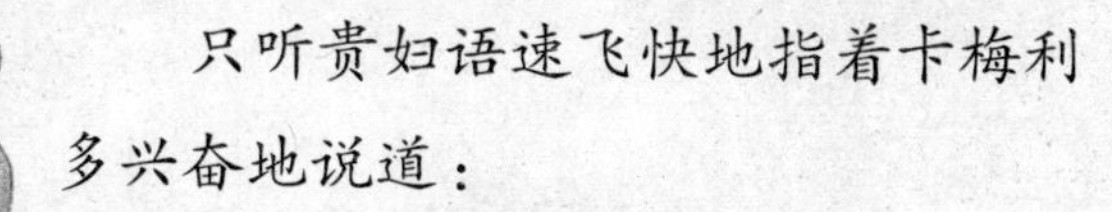

只听贵妇语速飞快地指着卡梅利多兴奋地说道：

“瞧，我看见什么了？我从来没有见过这么漂亮的小母鸡！”

贝里奥疑惑地朝卡梅利多看去。

“可是，夫人，我不是小母鸡，我是大公鸡！”

刺猬尼克望着贵妇，终于找到了答案，指着皮克的脑袋哈哈大笑。

“哈哈，现在我知道你像谁了！”

“好帅的小公鸡！我爱死你了！把你放到我的农场再合适不过了……哦！我要把你带到凡尔赛宫去！”贵妇满意地望着卡梅利多。

卡门在一旁再也忍不住喊道：“不许你把他带走，他在这里过得很好！”

贵妇没想到居然会有人和她顶嘴，非常生气。

“我是玛丽·安托瓦内特，法国的王后，我决定的事不可能改变！懂吗？你们这些蠢货。”

卡门也不甘示弱：“我是卡门，这是我的鸡舍，他是我哥哥！你不能带他走。”

玛丽王后没有理睬卡门的话，回头瞥见了贝里奥，高兴地惊呼道："哇！还有这只小山羊，好可爱哦！"

贝里奥惊呆了，正在想着怎么解释自己不是山羊而是绵羊的时候，玛丽王后已转身上了马车，随后命令车夫把卡梅利多和贝里奥抓上车带走。

卡梅利多和贝里奥这下才反应过来，自己已经被这漂亮又凶恶的王后劫持了，可能要永远离开家了，急得大喊："卡门，救命呀！"

"卡梅利多！贝里奥！……"

望着飞快驶去的马车，卡门已无能为力了。她赶忙跑回鸡舍把坏消息告诉大家，想办法救哥哥和好朋友贝里奥。

话说，卡梅利多和贝里奥糊里糊涂被玛丽王后带到她的皇家农场。迎面看到的是戴着假发的绵羊、胖猪和驴子。

绵羊鄙视地看了他们一眼，鼻子一哼，非常不屑。

“噢，乡下人！他们甚至都没学会鞠躬。”

卡梅利多还没搞清楚什么是乡下人，只听到身后传来一声大喊。

“给我老实点！说你们俩呢！如果你们胆敢试图逃走，哼，到时候让你们知道我的厉害，明白了吗？”

一只佩带着宝剑的大红公鸡雄赳赳地从后面走过来。

卡梅利多吓坏了，小声地说：“好的，我们保证原地不动……”

玛丽王后突然从屋里出来，手里摇着铃铛。

“游戏时间到了，大家来和新伙伴一起玩吧！你们在这里从来不会无聊的，谁来想个新游戏？”

胖猪极不情愿地低声说道：“噢，不！她又开始玩愚蠢的游戏了。”

“唉，总是没完没了重复，一点创意都没有。”绵羊附和着。

驴子闷声叹了一口气。

卡梅利多一听要做游戏，立刻忘了恐惧，争抢着回答：“我！我有新游戏！”

“瞧把你能的！”

驴子、胖猪和绵羊对卡梅利多怒目而视，嫌他多嘴。

“我，我没有新游戏……”

“我的天，凡尔赛宫？那么远！”

卡门早已有了主意：“我当然不能靠腿走去，但我可以坐‘飞禽航空’！”

“什么？飞禽航空？”公鸡爷爷第一次听到这个新名词。

皮迪克明白了卡门的用意，他在围墙上搭起一块木板，对卡门说：“来吧！飞禽运输机准备好了。”

“你肯定能用这个当降落伞吗，佩罗？”

“这是根据羽毛动力学原理制造的，附带两个双层加厚布料安全气囊……”鸬鹚佩罗得意地站在墙头解释道，“并且带有降落阀门！”他指了指绑紧裤脚的线。

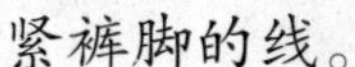

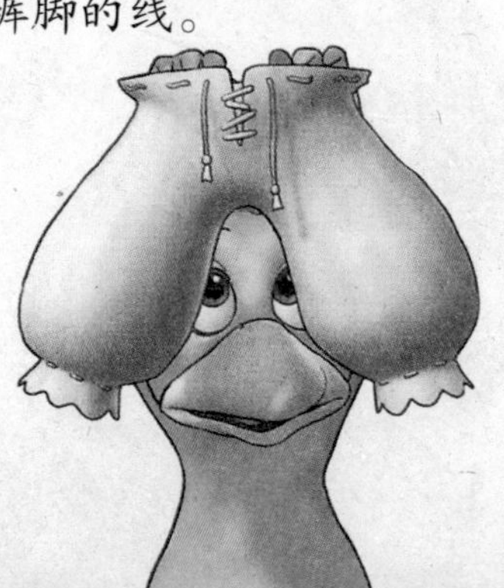

“好了，把卡梅利多和贝里奥给我们带回来吧。”皮迪克轻轻地拍卡门的肩膀。

“保证完成任务！”卡门自信十足。

“爷爷，这样的高危动作可不是您这个年纪能做的！”大嗓门悄声说。

公鸡爷爷生气地白了他一眼。

“记住！甭管到了什么年龄，身体健康就行！”

“OK，我准备好了！”卡门抱着降落伞站在木板的一端。

说时迟那时快，公鸡爷爷举着大嗓门和小胖墩从墙头猛地跳到木板上。

卡门一弹，飞了起来。

“足球其实很简单，只需要跑步并把球踢进两根竿子之间就行了。”卡梅利多在空地的尽头插了两根竿子。

玛丽王后看后直摇头。

“噢，不！不可以跑步！尘土会把我的裙子弄脏的！”

卡梅利多不想因王后的怪癖而踢不成球，便建议道：“您可以当裁判呀。”

玛丽王后兴奋地拍手：“好耶，好耶……哦？裁判是干什么的？”

贝里奥愣在一旁不知道如何解释。

玛丽王后很快忘记了刚才的提问，兴奋地拿出铃铛宣布：

“集合，比赛开始！”

卡梅利多和贝里奥满场飞奔，相互传球，配合无间，频频进球。

绵羊一直没接到球：“这个游戏真是愚蠢极了。”

“给我！接球！”

“哈哈！我们又得一分！”贝里奥开心地欢呼道。

玛丽王后也跟着欢呼。“我赢啦！我赢啦！我赢啦！”

“您怎么会赢呢？您是裁判呀……”

“再说一遍！王后说赢了就是赢了！还胆敢顶嘴！卫士长给我教训教训这不懂规矩的小鸡！”

恰在此时，卡门从天而降。

贝里奥和卡梅利多实在没想到卡门会用这么奇特的方式出现，齐声惊呼："卡门！"

卡门径直朝玛丽王后走过来严肃地说："赶快放人！我是来接我哥哥，还有好朋友贝里奥的！"

玛丽王后这辈子第一次听到有人敢命令她，气坏了。

“哦，你好大胆子！敢命令我？看我怎么惩罚你。”

贝里奥赶紧过来打圆场。

“其实，这里还是不错的，我们正在踢足球呢。”

“还有一个好处，这里禁止洗澡！”卡梅利多凑过来小声说。

玛丽王后用恩赐的口吻对卡门说：“你可以留下来，但必须乖乖的。”

餐桌上，贝里奥饿得发慌，迫不及待想从桌上拿吃的。

公鸡卫士长恶狠狠地盯着贝里奥："把你的臭蹄子放下去！王后没说开饭前，谁也不许动。"

卡门看着桌对面戴着假发的绵羊、胖猪和驴子，奇怪地问卡梅利多：

"他们的模样怎么怪里怪气的？"

玛丽王后不能允许发号施令的权力被剥夺。

她摇着铃铛宣布："游戏时间结束！好了，现在是王后午餐的时间了。"

随后，玛丽王后端着一盘菜出来了。

"好了……开饭！大虾海鲜拼盘加番茄浓汁。"

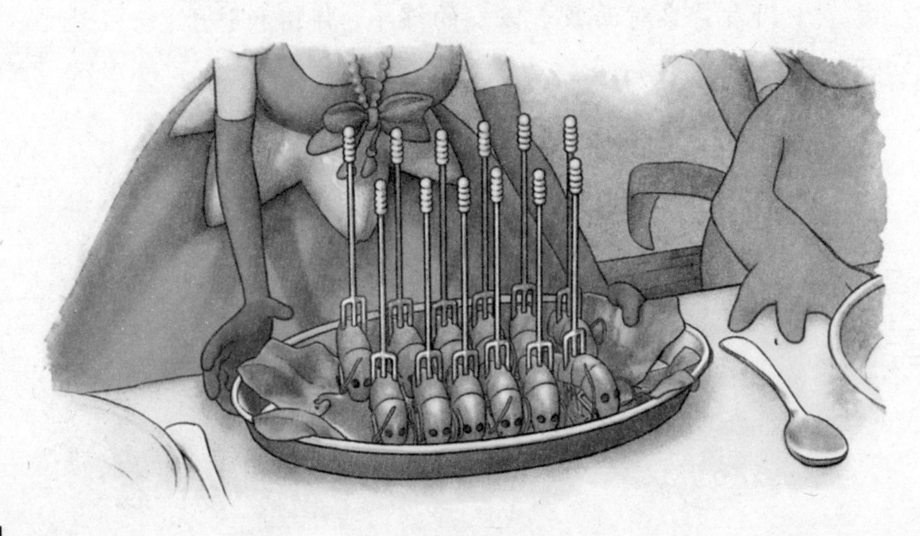

玛丽王后拿起一个大虾递给卡梅利多:“来,大口吃吧。”

卡梅利多从没吃过海鲜,吓得直往后退。

绵羊立刻向王后报告:“他把爪子放到桌子上了!”

玛丽王后最忍受不了居然有人会不听话，还弄脏了桌布，对卫士长大喊：“该死！把他抓下来！”

公鸡卫士长拔出剑跳上桌子，准备抓卡梅利多。卡梅利多也不甘示弱，抓起桌上的番茄大虾对抗。

桌旁的驴子一看好戏开演了，立即对胖猪说：“要不要赌一局？一百法郎，我赌小鸡他们赢。”

胖猪马上附和：“好，打赌！”

卡梅利多和公鸡卫士长过招了好几回合，险象环生。

卡门觉得持续下去哥哥一定打不过公鸡卫士长，她悄悄将海鲜拼盘挪到了桌子中间。

就在公鸡卫士长将卡梅利多逼到桌角，眼看卡梅利多就快招架不住了时……

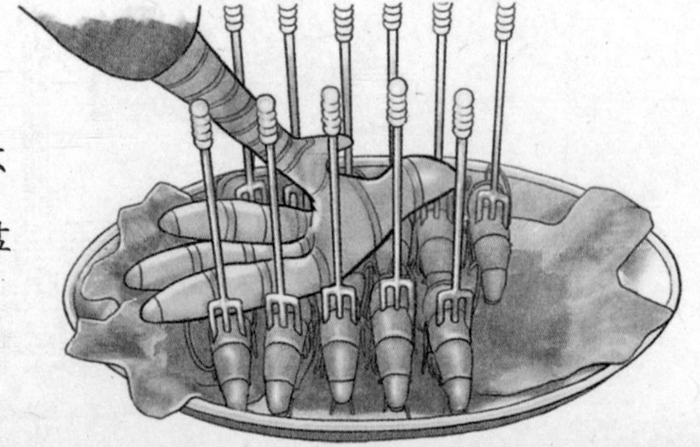

公鸡卫士长后脚一不小心踩到卡门摆放的菜盘上面，仰面摔了下去。

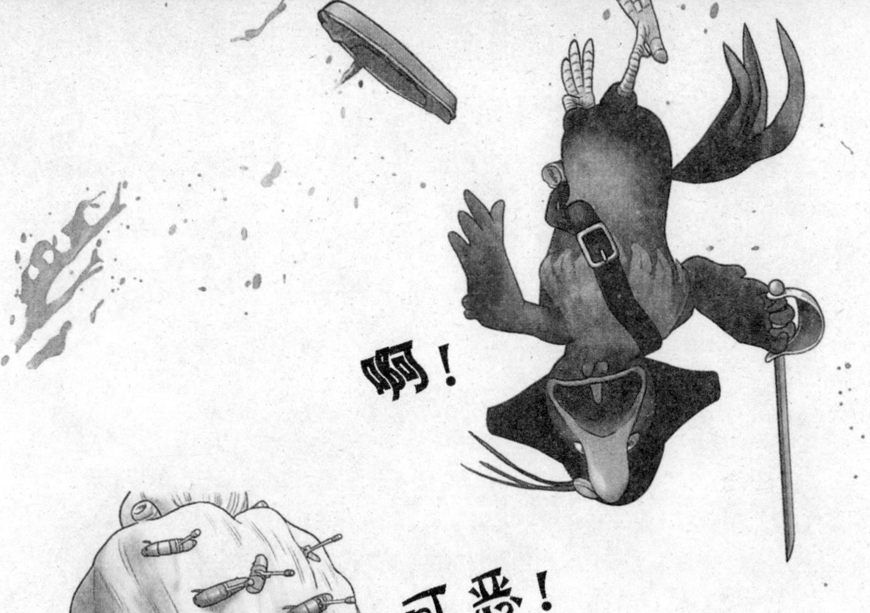

玛丽王后对这个结果非常不满意："够了！一点都不好玩，明天就把鸡宰了炖汤喝。还有烤羊排！红酒炒仔鸡！"

公鸡卫士长爬起来将卡门、卡梅利多和贝里奥都抓起来，关进了笼子里，准备第二天执行王后的命令。

夜晚，在经历了一天的惊险境遇后，想到自己第二天小命就没了，贝里奥痛苦地哭了起来："呜呜——我不要被宰掉……"

"放心，贝里奥，我来想办法！"卡门始终没有放弃希望。

胖猪在树下感叹道："真遗憾……其实我还是挺喜欢踢足球的，比王后的那些狗屁游戏好玩多了。"

“没准儿我们可以帮他们逃跑！”绵羊踩着驴子的背跳上去，打开了笼门。

“我们要赶快逃离这个魔鬼农场！”

“你们走了，皇后一定会拿我们出气，到那时就轮到我们被炖汤了！”

“哦，不，我不想被做成烤乳猪。”

卡门沉思片刻想到了一个好办法。

这时一阵马蹄声从门口经过，公鸡卫士长睡眼蒙眬地看到车里玛丽王后伸手和他打招呼。

卫士长放行王后的马车出了大门。

突然，楼上传来玛丽王后的尖叫：

"还不快拦住，蠢货！"

公鸡卫士长此时才清醒过来，知道自己上当了，立即追了出去。

胖猪和卡门探头朝公鸡卫士长招手：“哈哈！永别啦！卫士长。再见，臭王后！”

就在小伙伴们以为胜利逃脱的时候，卫士长突然出现在车外，吓得大家慌了神。

卫士长抓住车门马上就要冲进来的时候，卡梅利多对贝里奥大喊：“该你出头了！”

贝里奥铆足了劲用头狠狠地朝车门撞去，公鸡卫士长随着车门跌了下去。

第二天，重获自由的小鸡们和新伙伴踢起了足球。

公鸡爷爷在场边为小鸡加油："哈！卡门和卡梅利多在邀请小伙伴边踢球边洗澡！"

卡梅拉开心地笑起来："对，他们没有食言。"

胖猪早就想一试身手，踢出一记漂亮的弧线球。

“耶——”

贝里奥接球一顶，球朝围墙外飞去，又砸在了刺猬皮克的头上。

“咦，你不觉得他的发型和某人很相似吗？”胖猪突然发现。

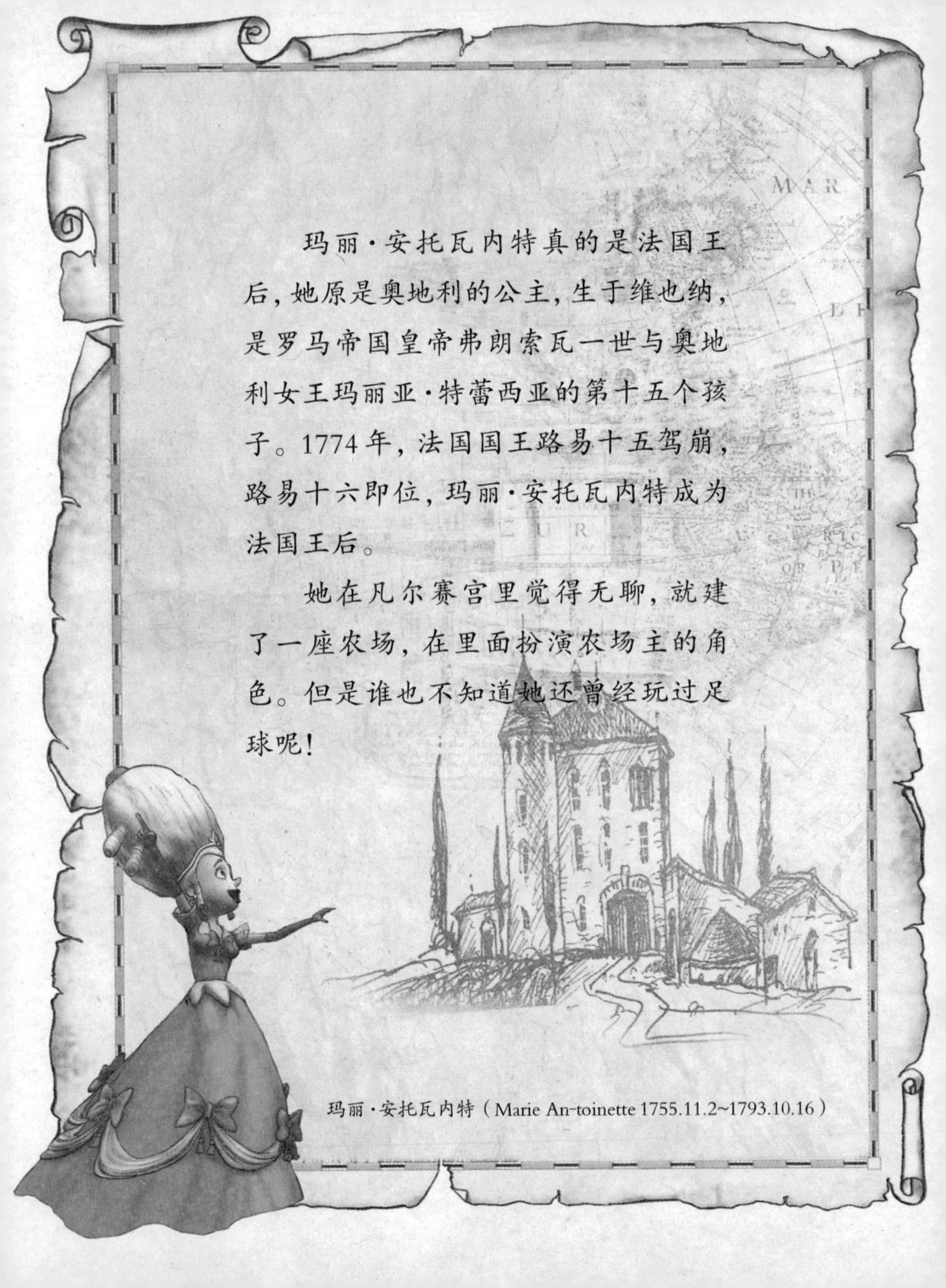

玛丽·安托瓦内特真的是法国王后，她原是奥地利的公主，生于维也纳，是罗马帝国皇帝弗朗索瓦一世与奥地利女王玛丽亚·特蕾西亚的第十五个孩子。1774年，法国国王路易十五驾崩，路易十六即位，玛丽·安托瓦内特成为法国王后。

她在凡尔赛宫里觉得无聊，就建了一座农场，在里面扮演农场主的角色。但是谁也不知道她还曾经玩过足球呢！

玛丽·安托瓦内特（Marie An-toinette 1755.11.2~1793.10.16）

据［法］克利斯提昂·约里波瓦同名绘本动画片改编

图书在版编目（CIP）数据

我要逃出皇家农场 / (法) 约里波瓦文；
(法) 艾利施绘；郑迪蔚编译.
-- 南昌：二十一世纪出版社,2012.11
（不一样的卡梅拉动漫绘本；2）
ISBN 978-7-5391-8237-7

Ⅰ. ①我… Ⅱ. ①约… ②艾… ③郑……
Ⅲ. ①动画—连环画—作品—法国—现代
Ⅳ. ①J238.7

中国版本图书馆CIP数据核字(2012)第266495号

版权合同登记号 14-2012-443
赣版权登字—04—2012—762

我要逃出皇家农场　郑迪蔚 / 编译

策　　划　张秋林
美术统筹　郑迪蔚
责任编辑　黄　震　　陈静瑶
制　　作　敖　翔　　黄　瑾
出版发行　二十一世纪出版社
www.21cccc.com　cc21@163.net
出 版 人　张秋林
印　　刷　北京尚唐印刷包装有限公司
版　　次　2012年12月第1版　2012年12月第1次印刷
开　　本　800mm × 1250mm　1/32
印　　张　1.5　　印　　数　1-60200册
书　　号　ISBN 978-7-5391-8237-7
定　　价　10.00元

本社地址：江西省南昌市子安路75号　330009（如发现印装质量问题，请寄本社图书发行公司调换　0791-86512056）